Lise Levasseur

# LE CÉGÉPIEN FUTÉ

## POUR BIEN PRÉPARER L'ARRIVÉE AU COLLÉGIAL

*Septembre*
*éditeur*

Catalogage avant publication de Bibliothèque et Archives nationales du Québec et Bibliothèque et Archives Canada

Levasseur, Lise

    Le cégépien futé : pour bien préparer l'arrivée au collégial

    Comprend des références bibliographiques et un index.

    ISBN 978-2-89471-489-8

    1. Adaptation scolaire. 2. Étudiants du collégial. 3. Transition scolaire. I. Titre.

LB2343.L48 2016                378.1'9                  C2016-940874-4

**Auteure**
Lise Levasseur

**Coordination du projet**
Lucie Demers, c.o.

**Conception visuelle**
Perfection Design

**Infographie**
Francine Bélanger

**Révision linguistique**
Odette Maheux

**Septembre éditeur**
**Président-directeur général et éditeur**
Martin Rochette

*Septembre éditeur reconnait l'aide financière du gouvernement du Canada.*

*Septembre éditeur remercie le gouvernement du Québec de l'aide financière accordée à l'édition de cet ouvrage, par l'entremise du Programme de crédit d'impôt pour l'édition de livres, administré par la Société de développement des entreprises culturelles du Québec (SODEC).*

*Septembre éditeur bénéficie également du soutien de la SODEC pour son programme d'édition et ses activités de promotion.*

© Septembre éditeur inc., 2016
Tous droits réservés

Dépôt légal – Bibliothèque et Archives nationales du Québec, 2016
Dépôt légal – Bibliothèque et Archives Canada, 2016
Dépôt légal – 3e trimestre 2016

ISBN 978-2-89471-489-8 (imprimé)
ISBN 978-2-89471-826-1 (pdf)

Imprimé et relié au Québec

Téléphone : 418 658-7272
Sans frais : 1 800 361-7755
Télécopieur : 418 652-0986
**www.septembre.com**

# Table des matières

Introduction . . . . . . . . . . . . . . . . . . . . . . . . . . . . . . . . . . . . . . . . . . . . . . . 4

**Prendre la décision d'étudier au collégial** . . . . . . . . . . . . . 7
Se préparer dès la troisième secondaire . . . . . . . . . . . . . . . . . . . . . . 7
Choisir ton programme de formation . . . . . . . . . . . . . . . . . . . . . . . 10
De quoi se compose un programme d'études collégiales? . . . . . . . . 17
Choisir ton cégep . . . . . . . . . . . . . . . . . . . . . . . . . . . . . . . . . . . . . . . . 19

**La demande d'admission : Où, quand et comment?** . . . . . 21
Les conditions d'admission . . . . . . . . . . . . . . . . . . . . . . . . . . . . . . . . 21
Cégep public ou privé? . . . . . . . . . . . . . . . . . . . . . . . . . . . . . . . . . . . . 27
Le processus d'admission en trois étapes . . . . . . . . . . . . . . . . . . . . 28

**Tu as été admis? Hourra!** . . . . . . . . . . . . . . . . . . . . . . . . . . . . . . 33
L'inscription au cégep . . . . . . . . . . . . . . . . . . . . . . . . . . . . . . . . . . . . 34
Qu'est-ce qui se passe après ton inscription? . . . . . . . . . . . . . . . . 39
Un horaire différent . . . . . . . . . . . . . . . . . . . . . . . . . . . . . . . . . . . . . 42

**Nouveau départ, nouvelles habitudes** . . . . . . . . . . . . . . . . 45
Les principales différences entre le secondaire et le collégial . . . . 47
La journée d'accueil . . . . . . . . . . . . . . . . . . . . . . . . . . . . . . . . . . . . . . 49
Le début des cours . . . . . . . . . . . . . . . . . . . . . . . . . . . . . . . . . . . . . . . 50
La présence aux cours . . . . . . . . . . . . . . . . . . . . . . . . . . . . . . . . . . . . 52
La réussite . . . . . . . . . . . . . . . . . . . . . . . . . . . . . . . . . . . . . . . . . . . . . . 54

**Réfléchir à l'avenir (encore!)** . . . . . . . . . . . . . . . . . . . . . . . . . . 63
La prochaine session . . . . . . . . . . . . . . . . . . . . . . . . . . . . . . . . . . . . . 63
La cote de rendement au collégial (ou cote R) . . . . . . . . . . . . . . . . 68
Des professionnels et des services importants à connaitre . . . . . . 72
Dix pièges à éviter . . . . . . . . . . . . . . . . . . . . . . . . . . . . . . . . . . . . . . . 79

**Ressources** . . . . . . . . . . . . . . . . . . . . . . . . . . . . . . . . . . . . . . . . . . . . 80

**Référence** . . . . . . . . . . . . . . . . . . . . . . . . . . . . . . . . . . . . . . . . . . . . . . 87

# Introduction

Chaque jour, tout comme de nombreuses personnes, j'accueille de nouveaux étudiants ou des étudiants qui sont depuis peu au cégep où je travaille. Ils viennent à mon bureau, parfois accompagnés de leurs parents, parce qu'ils sont un peu perdus, déroutés, découragés ou anxieux, et ce, parce qu'ils ne connaissent pas bien les « rouages » des études au collégial. Beaucoup d'entre eux ne connaissent pas bien les règles administratives qu'ils doivent respecter, d'autres ne s'attendaient pas à ce que ce soit aussi exigeant et ils vont jusqu'à penser abandonner leurs études. D'autres encore se questionnent sur le choix de programme qu'ils ont fait ou éprouvent certaines difficultés dans leurs cours, mais ils ignorent que plusieurs professionnels sont là pour eux. Ce sont ces nombreuses difficultés que les étudiants vivent, souvent par ignorance, qui m'ont poussée à réfléchir au moyen de les aider.

J'ai donc décidé d'écrire ce livre pour expliquer toutes les étapes à franchir pour bien se préparer à devenir « un cégépien futé » et leur donner quelques outils, trucs et conseils pour passer à travers l'adaptation à ce nouveau milieu de vie. J'espère ainsi leur éviter de prendre de mauvaises décisions qui pourraient avoir des répercussions sur leur réussite ou leur futur choix à l'université.

*Note :*

*Dans le texte de cette publication, le mot cégep (**C**ollège d'**e**nseignement **g**énéral **e**t **p**rofessionnel) est utilisé dans un sens général et désigne tous les établissements de niveau collégial, peu importe que l'établissement se nomme Cégep, Collège, Institut ou Campus et qu'il soit public ou privé.*

# PRENDRE LA DÉCISION D'ÉTUDIER AU COLLÉGIAL

## Se préparer dès la troisième secondaire

Tu dois te préparer dès la troisième secondaire à faire des choix dans tes études et à fournir des efforts pour avoir de bons résultats scolaires, et ce, que tu décides de poursuivre tes études au collégial ou non.

**Préalables :**
Cours de sciences et de mathématique exigés pour l'admission à certains programmes de formation au collégial.

**Conditions particulières d'admission :**
Tests physiques, examen médical, audition et autres conditions à remplir en plus des préalables exigés.

Tu dois d'abord réfléchir à ton choix de cours en mathématiques et en sciences, car ce sont des **préalables** pour être admis dans un programme au cégep. Par exemple, pour être admis en Sciences de la nature, tu dois avoir réussi les cours de mathématique Technico-sciences (TS) ou Sciences naturelles (SN) de 5e secondaire, en plus des cours de Chimie et de Physique de 5e secondaire. Si tu ne complètes pas les préalables requis, tu pourrais avoir à faire des cours supplémentaires à l'éducation des adultes, à la fin de tes études secondaires, pour être admis dans le programme qui t'intéresse. Tu peux te référer à la section « Outils et liens utiles » de ce livre pour obtenir plus d'information sur les préalables et les **conditions particulières d'admission**.

7

**Projet personnel d'orientation (PPO) :** Cours qui amène l'élève à explorer plusieurs secteurs d'intérêt et à éprouver ses choix par de nombreuses expérimentations. Il lui offre l'occasion de poursuivre la construction de son identité personnelle et professionnelle.

**Programmes contingentés :** Programmes pour lesquels il y a peu de places disponibles pour l'admission et qui exigent des résultats scolaires élevés.

**Taux de diplomation :** Proportion en pourcentage des étudiants qui obtiennent un diplôme.

Tu dois également choisir des cours optionnels en lien avec ton futur programme au collégial ou choisir le cours Projet personnel d'orientation (PPO) pour t'aider à prendre une décision face à ton avenir.

En même temps, tu dois t'engager à faire **le plus d'efforts** possible dans tes études, car les résultats scolaires que tu auras obtenus pour chaque matière de la 4e et de la 5e secondaire, surtout le français, sont pris en compte lors de ta demande d'admission à un programme de niveau collégial. Meilleurs sont tes résultats scolaires, meilleures sont tes chances d'être admis dans le programme de ton choix et surtout dans les programmes contingentés.

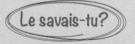

## Le savais-tu?

Le meilleur prédicteur de la réussite au collégial est la moyenne générale au secondaire. Les élèves ayant une moyenne inférieure à 70 % ont un taux de diplomation qui se situe aux alentours de 40 %. Cela dit, des résultats scolaires forts au secondaire ne garantissent pas la réussite au collégial sans effort. À l'inverse, il est possible de réussir au cégep même en ayant obtenu des notes faibles au secondaire, en conjuguant motivation, effort, persévérance et bonnes habitudes de travail.

# Bien réfléchir avant tout!

Décider d'étudier au cégep, c'est faire un pas vers ton autonomie, car c'est toi qui prends ton avenir en main. La demande d'admission au collégial doit donc être précédée d'une réflexion sérieuse : une démarche d'orientation.

**Préuniversitaires :**
Programmes de deux ans qui mènent aux études universitaires.

**Techniques :**
Programmes de trois ans qui mènent à l'université ou sur le marché du travail.

Une fois que tu as une idée du métier qui t'intéresse, tu dois cibler le programme d'études à compléter pour y arriver. Ensuite, tu dois prendre le temps d'explorer les différents types de programmes **préuniversitaires** et **techniques** (voir tableau, p. 17) et de t'informer des possibilités d'emplois sur le marché du travail ou des programmes d'études universitaires. Il est aussi très important de bien évaluer tes propres capacités et de mesurer les conséquences de tes choix. Si tu as choisi un programme technique et que celui-ci est contingenté, prévois un ou deux autres programmes pour lesquels tu as de l'intérêt. C'est ce qu'on appelle un plan B.

9

Évidemment, en plus des cours et des services offerts par ton école secondaire, divers moyens sont mis à ta disposition pour t'aider à choisir un programme d'études qui correspond à tes gouts, à tes aptitudes et à tes capacités :

- T'inscrire à « Étudiant d'un jour » dans un cégep;
- Participer aux portes ouvertes d'un cégep;
- Participer à une Journée Carrière avec un travailleur;
- Participer à « Jeunes Explorateurs d'un jour » (voir p. 80);
- Visiter un salon sur l'emploi, les carrières et les formations.

Enfin, parmi les cégeps qui offrent le programme que tu as choisi, tu dois choisir l'établissement qui te convient le mieux. Par exemple, privilégie celui qui t'offre la possibilité de participer à différentes activités socioculturelles ou de t'inscrire à des cours complémentaires intéressants. Si tu fais partie d'un réseau de sport étudiant (RSEQ) ou si tu es un athlète-étudiant (Alliance Sport-études), réfléchis aux possibilités que t'offrent ton futur cégep pour continuer à pratiquer ce sport.

# Choisir ton programme de formation

Choisir « le bon » programme est une grande décision à prendre. Elle nécessite un important travail de réflexion et de recherche de renseignements dans lequel tu dois t'investir sérieusement.

## Un « bon programme d'études » est un programme qui correspond :

- ✔ À ce que tu aimes (tes intérêts);
- ✔ À ce que tu veux pour ton avenir;
- ✔ À ce que tu trouves important (tes valeurs);
- ✔ À tes forces;
- ✔ Au niveau d'efforts que tu es prêt à investir pour réussir.

## Ne choisis surtout pas un programme :

- ✗ Pour être dans le même cégep que tes amis;
- ✗ Pour être dans le même programme que tes amis;
- ✗ Pour faire plaisir à tes parents.

# Les types de programmes au collégial

Les programmes **préuniversitaires** (deux ans, quatre sessions) conduisent à l'université.

Les programmes **techniques** (trois ans, six sessions) conduisent au marché du travail ou à l'université, à condition de répondre à toutes les conditions d'admission du programme visé.

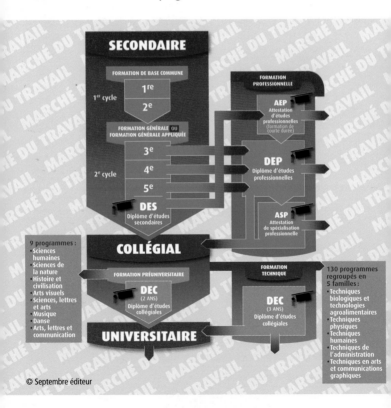

## Un mot sur les DEC-BAC

Tu as également la possibilité de choisir un programme avec un cheminement DEC-BAC, c'est-à-dire un programme technique pour lequel l'université te créditera certains cours à ton entrée si tu respectes les conditions d'admission du programme visé. Donc, tu pourras obtenir un DEC **et** un baccalauréat en moins de temps, soit cinq ans au lieu de six (en général, en une année de moins à l'université).

13

## Les autres formules

### Le double DEC

Tu hésites entre deux programmes préuniversitaires? Tu as des intérêts qui se retrouvent dans deux domaines différents? Le double DEC permet d'étudier dans deux programmes en même temps (ex. : Sciences de la nature et Sciences humaines) et d'obtenir les deux diplômes. Ainsi, tu pourras être admis dans les mêmes programmes universitaires que les étudiants qui ont complété un cheminement régulier dans l'un des deux programmes. Tu dois cependant savoir que la durée de tes études sera prolongée d'une année.

### L'alternance travail-études (ATE)

Certains programmes techniques sont offerts en ATE, ce qui veut dire qu'ils offrent la possibilité d'alterner des périodes d'étude avec des périodes de stages rémunérés. Ces stages ont une durée de 8 à 16 semaines et **s'ajoutent** aux trois années du DEC technique.

### Le baccalauréat international

Le baccalauréat international est un programme préuniversitaire reconnu dans plus de 100 pays dans le monde. C'est un programme exigeant qui est offert en formule enrichie en langues et en littérature, en langue seconde, en sciences, en mathématique, en arts et en individus et société. Ce programme permet à l'étudiant de faciliter son admission dans une université à l'étranger, où le programme est reconnu. Il est accessible aux étudiants ayant obtenu des résultats scolaires supérieurs à la moyenne (80 % et +) au secondaire.

Tu hésites?

- Mon choix de programme n'est pas encore bien défini et je souhaite continuer ma réflexion avant de m'inscrire dans un programme d'études;
- Il me manque des préalables pour faire une demande d'admission dans le programme d'études collégiales qui m'intéresse;
- Je veux vérifier si les études collégiales sont faites pour moi;
- J'ai été refusé dans un programme, mais je veux quand même commencer mes études collégiales afin d'améliorer mon dossier scolaire pour faire une autre demande. J'envisage aussi de me réorienter dans un autre programme d'études.

**Tremplin DEC :**
Cheminement offrant aux étudiants la possibilité d'explorer différentes avenues tout en complétant des cours de la formation générale.

Si tu as répondu oui à l'un de ces énoncés et que tu t'inscris **dans un cégep du réseau public\*** pour la première fois, le cheminement Tremplin DEC au collégial s'adresse **à toi**.

**\*** *Ce cheminement n'est pas offert par les établissements d'enseignement du réseau privé.*

## En Tremplin DEC, tu pourras :

- Faire une démarche d'orientation permettant l'élaboration d'un projet d'études et de carrière.

- Suivre des cours de mise à niveau du secondaire en mathématiques, en physique et en chimie. Vérifie auprès du cégep que tu as choisi si les cours dont tu as besoin sont offerts.

- Compléter des cours de la formation générale (voir tableau page suivante). Bref, cette formule te permet de prendre de l'avance dans ton cheminement!

- Suivre un cours dans un programme technique (cours d'exploration) afin de valider ton intérêt pour ce domaine. C'est également l'occasion de te familiariser avec le cégep.

# De quoi se compose un programme d'études collégiales?

Tous les programmes menant au diplôme d'études collégiales (DEC) sont structurés de la même manière :

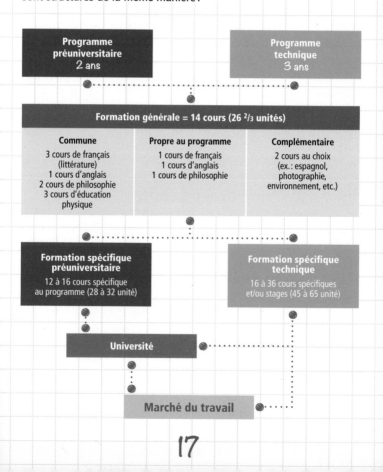

**Programme préuniversitaire**
2 ans

**Programme technique**
3 ans

**Formation générale = 14 cours (26 2/3 unités)**

| Commune | Propre au programme | Complémentaire |
|---|---|---|
| 3 cours de français (littérature) | 1 cours de français | 2 cours au choix (ex. : espagnol, photographie, environnement, etc.) |
| 1 cours d'anglais | 1 cours d'anglais | |
| 2 cours de philosophie | 1 cours de philosophie | |
| 3 cours d'éducation physique | | |

**Formation spécifique préuniversitaire**
12 à 16 cours spécifique au programme (28 à 32 unité)

**Formation spécifique technique**
16 à 36 cours spécifiques et/ou stages (45 à 65 unité)

**Université**

**Marché du travail**

## Formation générale commune

Dans tous les cégeps du Québec, la formation générale commune est identique pour tous les programmes préuniversitaires et techniques. Elle permet à tous les étudiants d'acquérir des habiletés générales, transférables et utiles dans toutes sortes de situations.

## Formation générale propre au programme

La formation générale propre au programme permet à tous les étudiants d'acquérir des habiletés liées à leur champ d'études. Par exemple, leur cours d'anglais leur permet de connaitre le vocabulaire-clé propre à leur domaine.

## Formation générale complémentaire

La formation générale complémentaire a pour objectif de diversifier les connaissances générales des étudiants par des cours supplémentaires dans des domaines différents de ceux du programme.

## Formation spécifique (liée au domaine d'études)

Les cours qui composent la formation spécifique sont uniques pour chaque programme et déterminés en fonction de ton domaine d'études.

# Choisir ton cégep

Tout d'abord, le contenu de base d'un même programme d'études est identique d'un cégep à l'autre. Par contre, certains permettent aux étudiants de vivre des expériences particulières dans le cadre de leurs études (stage ou session d'immersion à l'étranger, formule Arts-études ou Sport-études, etc.) ou de choisir des cours optionnels uniques à leur établissement. D'autres cégeps offrent une formule d'enseignement particulière, comme l'Alternance travail-études (voir p. 14). Cette « saveur locale » peut être déterminante dans le choix de ton cégep.

## Avant de faire ton choix :

- Vérifie dans quel(s) cégep(s) s'offre le programme pour lequel tu veux faire une demande d'admission.

- Consulte leur site Web pour vérifier les particularités de chaque cégep.

- Informe-toi des dates des « portes ouvertes » afin de visiter le ou les cégeps qui t'intéressent. Tu pourras y rencontrer des professeurs, des étudiants et des professionnels afin de leur poser des questions qui pourront t'aider à faire ton choix.

- Tu peux également participer à l'activité « étudiant d'un jour », que la majorité des cégeps propose aux futurs étudiants. Il s'agit d'une journée où tu suivras les cours du programme que tu auras choisi en compagnie d'un étudiant qui est déjà dans le programme et à qui tu pourras poser toutes tes questions.

**Choisis le cégep qui te ressemble le plus,** celui qui t'offre les services dont tu as besoin (ex. : services adaptés à ta condition) ainsi que les activités et l'atmosphère qui vont te motiver durant tes études (ex. : programme d'aide humanitaire, association étudiante, radio, club scientifique, sport étudiant, etc.).

# LA DEMANDE D'ADMISSION : OÙ, QUAND ET COMMENT?

## Les conditions d'admission

> **Avant de faire une demande d'admission, tu dois être :**

- **En voie d'obtenir ton diplôme d'études secondaires (DES)** (voir encadré à la page suivante) ou ton diplôme d'études professionnelles (DEP). Pour le DEP, tu dois avoir réussi les cours de français et d'anglais de la 5e secondaire et un cours de mathématiques de 4e secondaire. L'offre d'admission sera conditionnelle à l'obtention de ton DES ou d'un DEP.

- **En voie d'obtenir les préalables requis** pour le programme que tu as choisi.

Bref, même si ta candidature est retenue, tu ne pourras être admis dans ton programme que si tu remplis toutes les conditions d'admission avant le début des cours.

## Qu'est-ce que ça prend pour obtenir mon DES?

- Obtenir 54 unités de 4e et 5e secondaire, dont au moins 20 en 5e secondaire.
- Réussir les cours de 4e secondaire suivants :
  - Mathématiques (CST, TS ou SN)
  - Sciences (ST ou ATS)
  - Histoire et éducation à la citoyenneté
  - Arts
- Réussir les cours de 5e secondaire suivants :
  - Français
  - Anglais
  - Éthique et culture religieuse ou éducation physique

# Les programmes contingentés

Être admis dans un programme contingenté est toujours plus difficile que dans les autres programmes. Selon le nombre de places disponibles, on privilégie les candidats qui :

- Ont les meilleurs résultats dans les **cours préalables** requis;
- Ont un **excellent dossier scolaire** (notes supérieures à la moyenne) :
  - Dans les matières de 4 ou 6 unités au secondaire;
  - Dans les matières préalables et le français;
  - Beaucoup d'unités du secondaire réussies.
- Satisfont le mieux aux **conditions particulières d'admission**. Ainsi, dans certains programmes, on tient compte :
  - Des résultats d'une entrevue ou d'un test;
  - De la région d'origine du candidat (certains établissements donnent la priorité aux étudiants de la région);
  - Des résultats d'un examen médical;
  - De la performance à une audition (programmes de musique ou de théâtre);
  - De la qualité du portfolio (programmes d'art);
  - Etc.

Le plus important est donc de consacrer toute ton énergie à obtenir les meilleurs résultats scolaires possibles afin d'augmenter tes chances d'admission.

# Le système de « tours »

Plusieurs programmes d'études ne commencent qu'à la session d'automne, mais certains sont également offerts à la session d'hiver. La date butoir pour déposer ta demande est:

|  | Automne | Hiver |
|---|---|---|
| **1er tour** | 1er mars | 1er novembre |
| **2e tour** | 1er mai | 1er décembre |
| **3e tour** | 1er juin | 1er janvier (certains programmes) |
| **4e tour** | Vérifier la date auprès du cégep | — |

**Il est primordial de faire ta demande d'admission au premier tour pour les programmes contingentés.** Ceux-ci ne sont généralement pas ouverts aux admissions aux 2e et 3e tours. De plus, même les programmes non contingentés peuvent être fermés au deuxième tour.

## Quelques exceptions :

| Programmes | Date butoir |
|---|---|
| DEC en théâtre-interprétation (cégeps Lionel-Groulx, Saint-Hyacinthe et Dawson) + DEC en théâtre musical à Lionel-Groulx | Mi-décembre |
| École nationale de cirque | Mi-janvier (auditions vers la mi-février) |
| École nationale de théâtre | Fin janvier (auditions dès le mois de mars) |
| École nationale de l'humour | Début février (auditions dès le mois d'avril) |
| Conservatoire de musique et d'art dramatique du Québec | 1er mars (sans système de tours) Musique : auditions en mars Théâtre : auditions en mai |

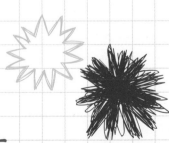

25

## Et si je ne respecte pas toutes les conditions d'admission?

L'une des options est de compléter le préalable requis à l'éducation des adultes **avant** ton entrée dans le programme choisi. Par exemple, si tu veux être admis en Techniques de comptabilité et de gestion et que tu as réussi les mathématiques CS de 4e secondaire, tu pourrais compléter le préalable de mathématiques Technico-sciences (TS) ou Sciences naturelles (SN) de 4e secondaire à l'éducation des adultes.

Il est également possible de t'inscrire au collégial sans choisir immédiatement un programme d'études en t'inscrivant au cheminement Tremplin DEC (voir p. 15-16). Durant ta première session, si tu veux compléter des cours de mise à niveau, **assure-toi que le cégep offre ceux dont tu as besoin**.

# Cégep public ou privé?

Peu importe l'établissement que tu as choisi, tu dois remplir les formalités nécessaires à ton admission et, au besoin, joindre à ton formulaire toutes les pièces exigées.

Les services régionaux d'admission (SRA) comptent 47 cégeps, 3 instituts et 1 collège universitaire. Les SRA regroupent les établissements des régions de Montréal (SRAM), de Québec (SRACQ) et du Saguenay – Lac-Saint-Jean (SRASL).

| SRAM | SRACQ | SRASL |
|---|---|---|
| 32 établissements | 15 établissements | 4 établissements |

Les **établissements publics** suivants ne sont pas membres de l'un des SRA. Il faut donc faire sa demande directement auprès du cégep.

Cégep Champlain – St. Lawrence ● Dawson College

Les **établissements privés** suivants ne sont pas membres de l'un des SRA. Il faut donc faire sa demande directement auprès du cégep.

Campus Notre-Dame-de-Foy ● Collège André-Grasset ● Collège Bart
Collège Centennial ● Collège Ellis ● Collège international des Marcelines
Collège international Sainte-Anne ● Collège Jean-de-Brébeuf
Collège Laflèche ● Collège LaSalle ● Collège Marianapolis
Collège O'Sullivan de Montréal ● Collège O'Sullivan de Québec
Collège préuniversitaire Nouvelles-Frontières ● Collège Stanislas
École de musique Vincent-d'Indy ● École nationale de cirque
École nationale de théâtre du Canada ● Institut Teccart
Mérici Collège privé ● Séminaire de Sherbrooke ● TAV College

## Étape 1 – La demande d'admission

Il n'est **pas possible de faire deux demandes** à un même cégep ou à deux cégeps membres du **même SRA**, même si les programmes visés sont différents.

Par contre, il est possible de faire une demande à **un cégep par SRA**.

De plus, il est possible de faire une demande dans un cégep non-membre d'un SRA (ex.: Dawson College) et une autre dans un ou plusieurs collèges privés.

**Par exemple,** si tu veux t'inscrire en informatique, tu peux faire **au moins** quatre demandes :

| | SRAM | SRACQ | SRASL | Hors SRA (public et privé) |
|---|---|---|---|---|
| **Maximum** | 1 | 1 | 1 | Pas de maximum |
| **Cégep du Vieux-Montréal** | ✔ | | | |
| **Cégep Garneau** | | ✔ | | |
| **Cégep de Chicoutimi** | | | ✔ | |
| **Dawson College (public)** et/ou **Collège O'Sullivan (privé)** | | | | ✔ |

# Étape 2 – L'étude du dossier

Pour évaluer toutes les demandes d'admission, le SRA ou l'établissement d'enseignement classe les étudiants en fonction des critères d'admission applicables pour chaque programme. Dans la plupart des **programmes non contingentés**, si tu as obtenu un DES ou un DEP (voir p. 21-22) et que tu as réussi les cours préalables requis pour le programme que tu as choisi, tu seras probablement admis.

Pour les **programmes contingentés**, les responsables de l'admission des cégeps doivent effectuer une sélection parmi les candidats en choisissant ceux et celles présentant les meilleurs résultats scolaires, principalement dans les cours préalables. Ils tiennent aussi compte des conditions particulières d'admission, s'il y a lieu (voir p. 23).

Chaque cégep se réserve le droit de refuser ou d'exclure un candidat pour l'une ou plusieurs des raisons suivantes :

- ✗ Matières ou unités manquantes au dossier;
- ✗ Non-obtention du diplôme d'études secondaires;
- ✗ Préalables non complétés.

Dans les programmes contingentés :

- ✗ Résultats scolaires trop faibles pour le ou les préalables exigés;
- ✗ Nombre de places insuffisant;
- ✗ Moyenne générale trop faible au secondaire;
- ✗ Résultats trop faibles aux tests;
- ✗ Entrevue non satisfaisante;
- ✗ Etc.

# Étape 3 – Le résultat

Quand vais-je recevoir ma réponse?

|            | **Automne**                | **Hiver**                |
|------------|----------------------------|--------------------------|
| **1er tour** | Fin mars ou début avril    | Mi-novembre              |
| **2e tour**  | Mi-mai                     | Mi-janvier               |
| **3e tour**  | Mi-juin                    | Avant le début des cours |
| **4e tour**  | Avant le début des cours   | —                        |

# Types de réponse possibles

## Refus

**Tu dois lire attentivement la lettre reçue**, car des renseignements importants peuvent y être indiqués. Par exemple :

- des précisions sur la raison de refus;
- les coordonnées des personnes à joindre (s'il y a lieu);
- la procédure à suivre pour effectuer un nouveau choix de programme.

## Liste d'attente

Dans un premier temps, tu peux communiquer avec le cégep pour savoir à quel rang tu te situes dans la liste. Selon la réponse, tu peux décider d'attendre jusqu'à la date limite d'inscription des candidats admis pour voir si des places se libéreront. Le cégep peut également te suggérer de modifier ta demande d'admission et de choisir un autre programme. Tu peux également faire une demande d'admission au prochain tour dans un autre cégep ou dans un autre programme.

## Admission conditionnelle

### ⇒ À l'obtention du DES

Le cégep peut admettre sous condition un candidat à qui il manque six unités ou moins de formation pour obtenir son diplôme d'études secondaires (DES). Tu dois alors t'engager à obtenir les unités manquantes dans un Centre d'éducation des adultes de la commission scolaire près de chez toi, au cours de la première session.

Attention : Ces unités **ne doivent pas être des cours préalables requis** pour l'admission au programme choisi. Par exemple, pour un DEC en Techniques de comptabilité et de gestion, le cours manquant ne doit pas être le préalable de mathématiques SN ou TS de 4e secondaire.

### ⇒ À la réussite du ou des préalables requis

Tu seras admis dans le programme que tu as choisi si tu réussis le ou les cours préalable(s) exigé(s) par le cégep. Plus que quelques semaines d'efforts!

Au moment de ta demande d'admission, si tu es inscrit à un ou plusieurs cours dans un Centre d'éducation aux adultes, tu dois le mentionner au SRA. Tu dois aussi demander à ton conseiller à l'éducation des adultes d'en fournir la preuve. Si tu es admis dans ce programme, le cégep te demandera de fournir la preuve que tu as réussi le ou les cours requis **avant** le début de la session.

# Les étapes en résumé

| | | Cégep | Collège privé |
|---|---|---|---|
| **①** La demande d'admission — 1 par SRA + 1 par collège privé | **Formulaire** | Remplir le formulaire disponible sur le site Web du SRA avant la date limite. | Remplir le formulaire (Web ou papier) disponible auprès de l'établissement avant la date limite. |
| | **Documents** | Aucun document à fournir pour les étudiants québécois. Toutefois, dans certains cas, une lettre de motivation ou la preuve d'inscription à un cours à l'éducation des adultes peut être exigée. | Fournir tous les documents exigés pour chaque demande (diplôme ou relevé de notes, certificat de naissance). Vérifier les exigences auprès de chaque établissement. |
| | **Confirmation** | Imprimer chaque demande et noter le numéro de demande d'admission (7 à 9 chiffres), car il te servira d'identifiant dans toutes tes communications avec le SRA ou ton futur cégep | |
| | **Frais** | Acquitter les frais d'ouverture, d'analyse et de traitement de ton dossier pour chaque demande. | |
| **②** L'étude du dossier | **Ce qui se passe** | Le SRA vérifie si ton dossier est complet et l'achemine au cégep que tu as choisi. Chaque cégep procède ensuite à la sélection. | Chaque établissement vérifie si ton dossier est complet et procède à la sélection. |
| **③** Le résultat | **Offre d'admission** (conditionnelle à l'obtention du DES et/ou des préalables) | S'inscrire au cégep avant la date mentionnée dans ton offre d'admission afin de confirmer que tu souhaites toujours y étudier. **Sinon, tu perds ta place!** | |
| | **Liste d'attente** (manque de places disponibles) | Communiquer avec le cégep pour savoir à quel rang tu te situes dans la liste. Des places peuvent se libérer jusqu'à la date limite d'inscription au cégep. Le cégep peut aussi te suggérer de faire une demande d'admission au prochain tour dans un **autre programme**. | |
| | **Refus** | Faire une demande d'admission au prochain tour dans un **autre cégep** ou dans un **autre programme**. | |

# TU AS ÉTÉ ADMIS? HOURRA!

Tu recevras dans ton dossier du SRA ou par la poste une lettre te présentant une offre d'admission ainsi que d'autres renseignements importants :

- Marche à suivre pour accepter l'offre d'admission (faire ton inscription au cégep);
- Guide d'inscription;
- Paiement des frais d'inscription;
- Choix de cours;
- Test de classement en anglais;
- Journée d'accueil;
- Services offerts;
- Etc.

N'oublie surtout pas de t'inscrire au cégep!

Tu dois **lire attentivement** tous les documents et **respecter les dates butoirs** pour toutes les étapes. **Si tu ne complètes pas ton inscription tel qu'indiqué dans la lettre, le cégep considérera que tu refuses son offre d'admission.**

33

# L'inscription au cégep

<u>Félicitations!</u> Tu as été admis dans le programme qui t'intéresse! Une fois que tu auras annoncé la bonne nouvelle à tes proches, tu auras quelques démarches **obligatoires** à faire pour officialiser ton inscription au cégep.

## Utiliser le portail étudiant du cégep

Tu peux accéder au portail étudiant de ton cégep à partir du site Web de celui-ci. Le guichet multiservice le plus répandu est Omnivox, mais certains cégeps utilisent ColNet. Ce sont des systèmes de services en ligne sécuritaires qui permettent d'effectuer plusieurs opérations :

- Faire ton choix de cours;
- Acquitter tes frais de scolarité;
- Consulter et imprimer ton horaire;
- Consulter ta grille de cheminement scolaire (indique l'évolution de ton dossier par rapport aux cours prévus à ton programme);
- Consulter tes plans de cours;
- Communiquer avec tes enseignants, les professionnels et les autres étudiants du cégep;
- Remettre tes travaux;
- Voir tes résultats scolaires;
- T'informer de ce qui se passe au cégep;
- Etc.

# Créer ton compte

**Omnivox**

Assure-toi d'avoir en main ton code permanent, ton numéro d'assurance sociale et ton numéro de demande d'admission (DA), qui figure sur ta réponse d'admission.

Dans la section « Étudiants », clique sur « première utilisation » et suis les instructions. Tu devras choisir un mot de passe dont tu n'auras pas de difficulté à te rappeler.

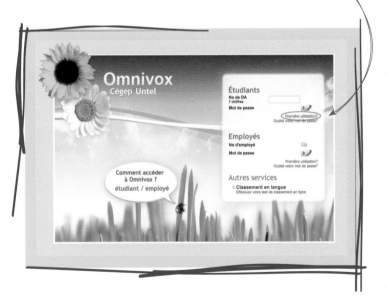

Assure-toi d'avoir en main ton numéro de demande d'admission (DA), qui deviendra ton code d'usager. Ton mot de passe par défaut est ta date de naissance au format AAAAMMJJ. Tu seras invité à changer le mot de passe par mesure de sécurité.

## Effectuer ton choix de cours (Omnivox)

Pour effectuer ton choix de cours, tu dois accéder à ton portail et faire des choix parmi ceux qui te sont proposés, surtout en éducation physique.

Si des contraintes empêchent le cégep de respecter tes choix (équipement, nombre de places limitées, etc.), ton horaire sera complété avec un autre cours. Tu dois donc effectuer plusieurs choix en fonction de l'ordre de préférence que tu accordes aux cours sélectionnés.

Pour ajouter un ou des cours à cette offre, clique sur l'icône *Ajout de cours* (lorsque disponible). Pour enlever un cours, clique sur l'icône *Message destiné à votre API* et explique pourquoi tu désires retirer un ou plusieurs cours. N'oublie pas d'inscrire le numéro de chaque cours à retirer. Il se peut qu'à la suite de ta demande, ton aide pédagogique individuel (API) (voir p. 73) veuille te rencontrer pour en discuter.

Si tu es affecté d'un **handicap physique permanent ou temporaire**, une maladie ou une blessure permanente, il faut choisir ton cours en tenant compte de ta condition. Tu dois aussi communiquer avec la personne responsable des cours d'éducation physique adaptés ou pour d'autres services afin d'y avoir accès. Pour plus d'information, consulte la section décrivant les services adaptés.

Tous les cours proposés te sont imposés selon ton cheminement : c'est l'ordre dans lequel tu devrais suivre tes cours, de la première à la dernière session d'études. Cela dit, il est très important de **respecter le délai établi pour valider ton choix de cours**, sinon ta demande d'inscription sera annulée.

N'oublie pas de cliquer sur « Remettre le choix de cours » et imprime le numéro de confirmation.

# Acquitter tes frais de scolarité

Une fois ton choix de cours effectué, le système va générer une facture pour tes frais de scolarité. Tu dois acquitter cette facture avant la date limite prévue par le cégep, sinon ton horaire sera détruit et tu devras payer des frais supplémentaire pour en faire faire un autre.

Tu as trois options pour effectuer le paiement :

● Sur le Portail/Omnivox, dans le menu de gauche, clique sur *Centre de paiement* pour consulter ta facture et en faire le paiement par carte de crédit. Sur ColNet, dans le menu de gauche, clique sur *État de compte* pour consulter ta facture et en faire le paiement par carte de crédit.

Une fois la transaction complétée, **note le numéro d'autorisation ou fais imprimer le reçu**. Il te sera utile en cas d'erreur de transaction.

Si le portail n'a pas généré la facture, il faut reprendre l'étape « Remettre le choix de cours » et attendre le numéro de confirmation.

ou

● Utilise **l'une des bornes Omnivox installées au cégep** pour faire un paiement.

ou

● Présente-toi au Service des finances (ou l'équivalent) de ton cégep pour effectuer un paiement par chèque ou par carte de débit.

# Si tu décides de ne plus aller au cégep

Après avoir complété ton inscription, si tu décides que tu ne veux plus aller au cégep, tu peux obtenir un remboursement pour certains frais que tu as payés, à condition d'en faire la demande par écrit ou en remplissant un formulaire avant la date limite. Il est possible de se procurer le formulaire de désistement ou d'avis de départ sur le site Web de certains cégeps, sur le Portail, au Service de l'admission, au Service de l'organisation et du cheminement scolaires ou au Secrétariat pédagogique.

Si tu dépasses la date limite, aucun remboursement ne sera possible et la mention « Échec » sera inscrite à chacun de tes cours sur le bulletin.

# Qu'est-ce qui se passe après ton inscription?

## Effectuer le test de classement en anglais

Ce test est **obligatoire** pour tous les **nouveaux étudiants**, sauf pour ceux qui ont déjà réussi un cours d'anglais de niveau collégial ou qui ont été admis dans un programme de langues. Ce test ne remet pas en question ton admission au cégep, il sert simplement à t'inscrire à un cours correspondant à ton niveau de connaissances. La façon de procéder pour faire le test est généralement fournie avec ta lettre d'admission.

L'étudiant mal classé sera invité à changer de groupe, ce qui pourrait avoir des conséquences sur son cheminement (ex.: report possible du cours à une autre session, changement d'horaire, etc.).

# Faire une demande d'aide financière aux études (prêts et bourses)

Tu as été admis dans un cégep; tu dois maintenant financer tes études. Le Programme de prêts et bourses du ministère de l'Éducation a pour objectif de permettre aux personnes, dont les ressources financières sont insuffisantes, de poursuivre des études en leur accordant une aide financière. Tu peux faire une demande d'aide financière en ligne et obtenir plus de renseignements au **www.afe.gouv.qc.ca**. Lorsque ta demande sera acceptée, le Ministère délivrera un certificat que tu devras récupérer au Service de l'aide financière de ton cégep. Par la suite, tu devras te présenter dans une banque ou une caisse pour que le montant qui t'a été accordé soit déposé dans ton compte.

Peu importe que tu aies obtenu un prêt ou une bourse (ou les deux), c'est à toi d'établir un budget pour bien gérer les sommes reçues. Les banques ou caisses offrent également, sur leur site Web, des outils pour t'aider à gérer tes revenus et tes dépenses.

Certains cégeps offrent également une bourse aux nouveaux étudiants ayant un bon dossier scolaire. La personne-ressource au Service de l'aide financière de ton cégep peut t'accompagner dans tes démarches pour l'obtention de ce genre d'aide financière.

# Te trouver un logement

Tu dois aller étudier dans une autre région? Voici quelques suggestions pour t'aider à trouver un endroit où habiter.

- Plusieurs cégeps offrent un service de résidences étudiantes. Pour en savoir plus à ce sujet, visite le site Web de ton futur cégep.

- Certains établissements t'indiquent comment trouver un logement ou une chambre. Ils offrent parfois la possibilité de consulter un babillard d'annonces classées.

- Tu peux également effectuer une recherche sur des sites d'annonces classées ou publier une annonce mentionnant que tu es à la recherche d'un logement ou d'une chambre à louer.

- Demande de l'aide à tes parents.

- Informe-toi à ton école si d'autres élèves iront étudier dans la même région que toi afin de partager les couts de la location d'un logement.

# T'inscrire aux activités parascolaires

Consulte le site Web de ton cégep sous l'onglet « Vie étudiante » pour découvrir les nombreuses activités (culturelles, sportives et autres) qui te sont proposées ainsi que les modalités pour t'inscrire à celle(s) qui t'intéresse(nt).

# Un horaire différent

L'horaire d'un étudiant au collégial compte en moyenne 21 heures de cours par semaine (sept cours de trois heures). Pour certains programmes, une période « d'encadrement » ou « de libération » est à l'horaire (ex.: conférence sur un sujet scientifique). L'horaire varie d'un étudiant à l'autre et d'une journée à l'autre.

## Exemple d'horaire – Sciences de la nature

| Période | Lundi | Mardi | Mercredi | Jeudi | Vendredi |
|---|---|---|---|---|---|
| 8h00 | 202-NYA *Chimie générale* | | | | 601-101 *Écriture et littérature* |
| 8h30 | | 201-NYA *Calcul différentiel* | | 101-NYA *Évolution et diversité du vivant (Biologie)* | |
| 9h00 | | | 109-670 *Badminton (Éducation physique)* | | |
| 9h30 | | | | | |
| 10h00 | | | | | |
| 10h30 | | | | | |
| 11h00 | | | | | |
| 11h30 | | | | | |
| 12h00 | 607-GNB *Espagnol 2* | 101-NYA *Évolution et diversité du vivant (Biologie)* | | 202-NYA *Chimie générale* | *Période d'encadrement* |
| 12h30 | | | | | |
| 13h00 | | | | | |
| 13h30 | | | 604-102 *Anglais* | | 201-NYA *Calcul différentiel* |
| 14h00 | | | | | |
| 14h30 | | | | | |
| 15h00 | | | | | |
| 15h30 | | | | | |
| 16h00 | | 601-101 *Écriture et littérature* | 202-NYA *Chimie générale* | | |
| 16h30 | | | | | |
| 17h00 | | | | | |
| 17h30 | | | | | |

Certains étudiants, comme ceux qui participent à un programme Sport-études ou qui sont des parents aux études, peuvent bénéficier d'un aménagement d'horaire particulier (contrainte à l'horaire). Il suffit d'en faire la demande.

## C'est quoi mon horaire?

**Rends-toi sur ton Portail aux dates prévues à cette fin** pour récupérer ton horaire (généralement une semaine avant le début des cours). Après ces délais, les horaires non réclamés sont détruits. Pour produire un nouvel horaire, il faudra payer certains frais.

## Remaniement d'horaire

Si ton horaire ne te convient pas, tu peux effectuer un **remaniement**. Plusieurs grilles te seront suggérées, lorsque possible, parmi lesquelles tu pourras choisir selon tes besoins sans changer le nombre de cours que tu auras à l'horaire. Sache toutefois que des frais seront applicables si tu choisis et acceptes un nouvel horaire.

43

# Modification de choix de cours et annulation de cours

Avant le début des cours, sur rendez-vous avec ton aide pédagogique individuel (API) (voir p. 73), tu peux demander d'ajouter ou de retirer un ou plusieurs cours à ton horaire, et ce, **jusqu'à la mi-septembre** (session d'automne) et **jusqu'à la mi-février** (session d'hiver). Après cette période, si tu abandonnes un cours ou que tu ne t'y présentes pas, tu auras un échec à ton dossier. **Les échecs restent inscrits sur ton relevé de notes**, même si tu reprends le cours et le réussis. Le cours sera alors inscrit deux fois sur ton relevé.

**Étudiant à temps plein :**
Étudiant inscrit à au moins quatre cours par session ou douze heures de cours par semaine.

Tu dois être conscient que le retrait d'un cours de ton horaire peut **allonger le temps prévu pour terminer tes études**. Dans certains programmes, l'abandon d'un seul cours peut prolonger la durée des études d'un an. Enfin, si tu as droit à des prêts et bourses, assure-toi de demeurer étudiant à temps plein, sinon le montant auquel tu as droit sera diminué.

44

# NOUVEAU DÉPART, NOUVELLES HABITUDES

La transition du secondaire au cégep demande inévitablement des changements considérables dans ta manière d'agir et de penser. Au cégep, tu devras t'adapter à un nouvel environnement, à un nouveau style d'apprentissage, à de nouveaux enseignants et, souvent, à de nouveaux amis.

Au secondaire, l'environnement est structurant et réglementé. La prise en charge des élèves est en grande partie assumée par l'école. Au collégial, tu dois toi-même te prendre en charge, faire preuve d'initiative et développer ton autonomie.

Une erreur fréquente du nouveau cégépien consiste à conserver les mêmes comportements et habitudes que celles acquises au secondaire. Ainsi, tu fais peut-être partie de ceux ou celles qui réussissent sans trop travailler à la maison. Ce n'est pas pour rien que le collégial fait partie de l'enseignement supérieur : les exigences y sont nettement plus élevées et elles ressemblent beaucoup plus à celles imposées aux étudiants universitaires.

45

**Le cégep, c'est plus :**

- De travaux longs à remettre;
- D'échéances à respecter;
- De lectures à faire;
- De temps à consacrer à l'étude.

Les études collégiales nécessitent de s'**y investir sérieusement dès le début**. Tu dois te mettre au travail dès la première semaine, afin d'éviter de prendre un retard qui pourrait être lourd de conséquences. Dis-toi bien que ces nouveaux apprentissages te serviront tout au long de ta vie!

## Au cégep, tu dois :

- Gérer ta liberté et développer ton autonomie afin d'atteindre les buts que tu t'es fixés.
- Établir ta propre discipline personnelle pour remplacer celle imposée par tes enseignants au secondaire.
- Gérer ton temps : tu pourras profiter encore plus de ton temps libre si tu as bien travaillé et que tu es à jour dans tous tes cours!
- T'engager et t'impliquer dans tes études.
- Planifier afin d'éviter d'être à la dernière minute!
- Rencontrer les professeurs en dehors des cours, au besoin.
- Recourir aux ressources disponibles pour te venir en aide, au besoin.

46

# Les principales différences entre le secondaire et le collégial

| | Le secondaire | Le collégial |
|---|---|---|
| **Choix ou obligation?** | Obligatoire jusqu'à 16 ans | Choix personnel |
| **Encadrement** | Structuré et réglementé par l'école (ex.: retenues) | ■ Tu es considéré comme un adulte autonome et responsable.<br>■ Chaque professeur a des règles et des sanctions différentes. |
| **Présence en classe** | Obligatoire | Non obligatoire |
| **Bulletins** | À chaque étape | Les résultats s'accumulent dans ton portail au fil des évaluations. |
| **Année scolaire** | Dure 10 mois, séparés en 3 étapes. | Comprend 2 sessions de 16 semaines chacune (dont 1 semaine d'examens):<br>■ automne (fin août – 3e semaine de décembre)<br>■ hiver (3e semaine de janvier – fin mai) |
| **Durée des cours** | 50 à 75 minutes | Plusieurs blocs de 1 à 3 heures |
| **Étude en classe** | À l'occasion | Jamais |
| **Examens et travaux** | Les enseignants tentent de les espacer. | Souvent à la mi-session et en fin de session. |
| **Travaux** | Compositions courtes (300-500 mots)<br><br>Travaux courts | ■ Les compositions doivent contenir autour de 1500 mots.<br>■ Les travaux de recherche s'échelonnent sur plusieurs semaines.<br>■ Les présentations doivent être structurées et respecter les normes établies. |

| | Le secondaire | Le collégial |
|---|---|---|
| **Charge de travail hors-classe** | Faible (1 ou 2 heures) | ■ Importante (3 à 4 heures).<br>■ Les livres sont plus longs et plus complexes.<br>■ Certains cours exigent la lecture d'au moins 3 livres. |
| **Matière présentée** | En classe : 80 %<br>Travail personnel et étude : 20 % | En classe : 60 %<br>Travail personnel et étude : 40 % |
| **Horaire de cours** | Toute la journée selon un horaire préétabli. | Entre 8 h et 18 h avec des périodes libres entre certains cours, occupés par des travaux et des lectures. Certains programmes prévoient des périodes de vie étudiante et d'encadrement. |
| **Échec** | Une reprise « efface » l'échec. | Un échec reste toujours au bulletin même si le cours est repris et réussi. Les échecs répétés à un ou plusieurs cours peuvent mener à une suspension. |
| **Aide à la réussite** | L'enseignant sollicite l'élève dès que des difficultés scolaires sont observées. | L'étudiant doit demander lui-même de l'aide. |

48

# La journée d'accueil

Tu seras sans doute invité par le cégep à participer à une journée d'accueil pour les nouveaux étudiants. Il est fortement conseillé d'y participer pour faciliter ta transition du secondaire au collégial. Tu auras la possibilité de :

- Rencontrer tes futurs enseignants;
- Recevoir toute l'information sur les ressources et les services disponibles au cégep;
- Obtenir ton agenda;
- Réserver ton casier;
- Faire prendre ta photo pour la carte étudiante;
- Vérifier où sont situés les locaux dans lesquels tu auras des cours;
- Etc.

Consulte ton agenda pour voir quels services sont offerts dans ton cégep et à qui tu dois t'adresser pour obtenir ceux dont tu as besoin (voir p. 72-78).

# Le début des cours

## La première semaine de cours

Pour connaitre les dates de début et de fin de session, consulte le calendrier scolaire de l'année en cours sur le site Web de ton cégep.

**Cette première semaine est déterminante pour ta réussite.** Tu dois dès maintenant acquérir de bonnes méthodes d'étude et de gestion de ton temps (voir p. 56-62).

## À vérifier régulièrement sur le portail du cégep

- **Changements à l'horaire.** Pour plusieurs raisons, il peut arriver que ton horaire change avant le début des cours, parfois la veille du premier jour de classe. Tu dois également vérifier ton horaire à chaque congé férié (comme à l'Action de grâce ou à Pâques).
- **Communications du cégep ou des enseignants.**

# Le plan de cours

Lors de la première semaine de cours, les professeurs te remettront la liste du matériel à te procurer à la coop étudiante du cégep pour le prochain cours. Ils te remettront également le plan de cours, qui contient:

- Les dates importantes (remise de travaux, examens, etc.);
- Les consignes pour la remise de travaux;
- Les exigences quant au français écrit et parlé;
- Les politiques concernant les absences au cours;
- Le nombre d'heures requises pour:
  - La théorie (cours en classe);
  - Les laboratoires (s'il y a lieu);
  - Le travail personnel;
- Les disponibilités du professeur (au besoin);
- Etc.

Il est très important de prendre connaissance de ce document. Il représente en quelque sorte un contrat entre toi et ton professeur et il est différent pour chacun de tes cours.

# La présence aux cours

Le *Règlement sur le régime d'études collégiales*, commun à l'ensemble des cégeps, donne à l'étudiant la responsabilité d'assister et de participer activement à tous ses cours.

L'assiduité aux cours est une habitude importante à prendre dès le départ. Les absences répétées entrainent des conséquences qui peuvent varier d'un professeur à l'autre. Certains peuvent te refuser la reprise d'une évaluation manquée ou l'accès à l'examen de fin de session. Tu échoueras ainsi ton cours et tu devras le reprendre. Bref, **consulte ton plan de cours**!

## La « confirmation de fréquentation scolaire »

Après quelques semaines de cours, les enseignants prendront systématiquement les présences aux cours. Tu devras par la suite aller confirmer ta présence sur le portail pour chacun de tes cours. **Cette étape doit obligatoirement être complétée, surtout si tu as fait une demande de prêts et bourses auprès du ministère de l'Éducation.**

Dates pour la confirmation de fréquentation scolaire
(peut varier selon l'établissement)

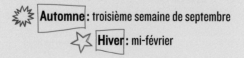

**Automne :** troisième semaine de septembre

**Hiver :** mi-février

# Absence prolongée (avec justification)

Si tu t'absentes pour une période de **moins de trois semaines**, tu as la responsabilité de communiquer avec chacun de tes enseignants, dans la mesure du possible, pour les informer de ta situation et prendre des ententes avec eux afin de minimiser les conséquences de ton absence sur chacun de tes cours.

Pour une absence de **plus de trois semaines** (cas de force majeure : accident, maladie prolongée, assistance à des proches, etc.), le cégep peut attribuer la remarque incomplet (IN) ou incomplet temporaire (IT) à ton dossier au lieu de la mention d'échec (EC).

Pour obtenir la remarque IN ou IT :

- Remplis les formulaires nécessaires, généralement disponibles au Secrétariat pédagogique ou au Service de l'organisation et/ou du cheminement scolaire(s).

- Demande à un professionnel de la santé de remplir le formulaire qui lui est adressé et de fournir une attestation médicale.

- Remets ces documents au service mentionné précédemment au cours de la session concernée.

  - Pour des raisons jugées exceptionnelles, tu peux remettre ces documents au plus tard un an après la fin de la session concernée, que tu te sois réinscrit ou non au cégep.

Si tu es dans l'incapacité d'effectuer les démarches toi-même (peu importe la durée de ton absence), tes parents peuvent les effectuer à certaines conditions.

## L'obligation de réussite scolaire

**Avant le début de ta première session au cégep,** il est fortement conseillé de lire le document « *Règlement favorisant la réussite scolaire* », disponible sur le site Web de ton cégep. Ce document te renseignera sur les conditions qui te sont imposées et les mesures que tu dois prendre si tu as des échecs répétés ou que tu échoues plusieurs cours à une même session. **Cela t'évitera de faire des erreurs qui peuvent te sembler banales, mais qui te pénaliseront à plus ou moins long terme. Sinon, tu t'exposes à des mesures d'encadrement pouvant aller jusqu'à l'expulsion du cégep et de tous les autres cégeps.**

Les règlements peuvent être différents d'un cégep à l'autre. Cela dit, même si tu changes d'établissement, les conditions imposées par ton ancien cégep pour continuer tes études seront également imposées par ton cégep d'accueil. Autrement dit, ton dossier scolaire ne s'effacera pas.

# Les évaluations

## Les examens et les travaux

Tu trouveras les règles ou méthodes d'évaluation pour chacun de tes cours dans le plan de cours remis par chaque professeur.

| Examens et travaux à remettre | Automne | Hiver |
|---|---|---|
| Mi-session | Mi-octobre | Mi-mars |
| Fin de session | Mi-décembre | Mi-mai |

Si tu n'es pas d'accord avec la note qui t'a été accordée, tu dois d'abord rencontrer ton professeur pour lui demander des explications et, le cas échéant, de corriger la note. Si tu n'es pas d'accord avec le verdict de ton professeur, vérifie la procédure de révision de note en vigueur auprès du Service de l'organisation scolaire ou du Secrétariat pédagorique de ton cégep ainsi que le délai alloué pour cette démarche.

## L'épreuve uniforme de français (EUF)

Lorsque tu auras complété les trois cours de français (littérature) de la formation générale commune, tu devras faire l'épreuve uniforme de français. Cette épreuve ministérielle est **obligatoire** pour obtenir ton diplôme.

Au cours de cette épreuve, tu devras rédiger une dissertation critique de 900 mots à partir de l'un des trois textes littéraires proposés. Durant ton troisième cours, le professeur te donnera toutes les consignes nécessaires pour te préparer à cette épreuve et la réussir.

La durée de l'épreuve est de 4 h 30 pour les étudiants qui n'ont pas besoin de services adaptés.

Si tu échoues l'épreuve, tu devras t'inscrire à l'une des trois périodes prévues et la reprendre, soit à la mi-mai, en août et à la mi-décembre.

## Trucs et conseils pour bien réussir

### Change de rythme!

Au cégep, tu devras changer ta manière de gérer ton temps pour t'ajuster à un nouveau rythme. Par exemple, un cours de mathématiques du secondaire (environ 200 heures) est réparti sur toute l'année scolaire. Au cégep, le cours équivalent est donné en 75 heures sur 15 semaines. Les étudiants qui réussissent sont ceux qui s'adaptent rapidement à ce nouveau rythme et qui prennent l'habitude d'étudier suffisamment **dès le premier jour**.

Il te faut établir une nouvelle routine plus adaptée à tes études au collégial. Dans ta nouvelle routine, tu dois prévoir du temps pour :

- Assister à tes cours;
- Faire tes travaux et préparer tes examens;
- Travailler (si tu le souhaites);
- T'adonner à des activités parascolaires ou à des loisirs;
- Passer du temps avec tes amis et ta famille;
- Dormir!

**Fais des efforts constants tout au long de la session et investis un peu plus de temps juste avant les examens.** Autrement, tu seras sérieusement débordé et stressé à des moments clés de la session.

# Gère ton temps de façon efficace

- **Inscris-toi à un atelier offert par ton cégep,** où l'on te donne des outils pour gérer efficacement ton temps ou avoir une bonne méthode d'étude.

- **Apprends à utiliser des outils de planification** : agenda, grille horaire hebdomadaire, calendrier mensuel, etc. Ils servent à la fois d'aide-mémoire, de guide et de mesure du rythme de travail.

- **Utilise ton agenda dès le premier jour des cours.**

  - Lorsque le professeur te remettra le plan de cours, notes-y toutes les dates d'examens et de remise de travaux.

  - Prévois des périodes d'étude ou de travail avant les dates prévues. Tu peux te baser sur la charge de travail indiquée dans ton plan de cours.

  - Utilise un code de couleurs (avec des surligneurs) pour prioriser tes activités et mettre en évidence les plus importantes.

- **Ne consacre pas plus de 15 à 20 heures par semaine à un travail rémunéré,** si tu fréquentes le cégep à temps plein. Il a été établi que le fait de travailler plus de 20 heures par semaine peut compromettre ta réussite scolaire, car le risque de difficultés, d'échecs ou d'abandons scolaires devient plus élevé[1]. Ta première priorité doit être tes études!

1. Roy, Bouchard et Turcotte (2008).

Transpose tous les renseignements contenus dans ton agenda dans une grille horaire hebdomadaire afin d'avoir une vue d'ensemble de ce que tu auras à faire à chaque semaine. Tu peux utiliser ton horaire de cours au cégep, que tu compléteras en te donnant un horaire précis pour chaque chose à faire. Garde cette grille à portée de main. Si tu n'es pas très discipliné, prévois également du temps pour regarder la télévision, jouer à des jeux vidéo, etc. Par exemple :

| Période | Lundi | Mardi | Mercredi |
|---|---|---|---|
| 8 h 00 | 202-NYA *Chimie générale* | | |
| 8 h 30 | 202-NYA *Chimie générale* | 201-NYA *Calcul différentiel* | |
| 9 h 00 | 202-NYA *Chimie générale* | 201-NYA *Calcul différentiel* | 109-670 *Badminton* (Éducation physique) |
| 9 h 30 | 202-NYA *Chimie générale* | 201-NYA *Calcul différentiel* | 109-670 *Badminton* (Éducation physique) |
| 10 h 00 | Rendez-vous avec mon API | 201-NYA *Calcul différentiel* | 109-670 *Badminton* (Éducation physique) |
| 10 h 30 | Rendez-vous avec mon API | | 109-670 *Badminton* (Éducation physique) |
| 11 h 00 | Commencer travail d'équipe en littérature | | |
| 11 h 30 | Commencer travail d'équipe en littérature | | |
| 12 h 00 | 607-GNB *Espagnol 2* | 101-NYA *Évolution et diversité du vivant* (Biologie) | Continuer travail d'équipe en littérature |
| 12 h 30 | 607-GNB *Espagnol 2* | 101-NYA *Évolution et diversité du vivant* (Biologie) | Continuer travail d'équipe en littérature |
| 13 h 00 | 607-GNB *Espagnol 2* | 101-NYA *Évolution et diversité du vivant* (Biologie) | 604-102 *Anglais* |
| 13 h 30 | 607-GNB *Espagnol 2* | 101-NYA *Évolution et diversité du vivant* (Biologie) | 604-102 *Anglais* |
| 14 h 00 | 607-GNB *Espagnol 2* | 101-NYA *Évolution et diversité du vivant* (Biologie) | 604-102 *Anglais* |
| 14 h 30 | 607-GNB *Espagnol 2* | 101-NYA *Évolution et diversité du vivant* (Biologie) | 604-102 *Anglais* |
| 15 h 00 | | | 604-102 *Anglais* |
| 15 h 30 | Travailler | | |
| 16 h 00 | Travailler | 601-101 *Écriture et littérature* | 202-NYA *Chimie générale* |
| 16 h 30 | Travailler | 601-101 *Écriture et littérature* | 202-NYA *Chimie générale* |
| 17 h 00 | Travailler | 601-101 *Écriture et littérature* | 202-NYA *Chimie générale* |
| 17 h 30 | Travailler | 601-101 *Écriture et littérature* | 202-NYA *Chimie générale* |
| 18 h 00 | Souper et relaxer | | |
| 18 h 30 | Souper et relaxer | | |
| 19 h 00 | Souper et relaxer | | |
| 19 h 30 | Revoir mes notes en espagnol | Revoir mes notes en bio | Aller au gym |
| 20 h 00 | Revoir mes notes en espagnol | Revoir mes notes en bio | Aller au gym |
| 20 h 30 | Revoir mes notes en espagnol | Revoir mes notes en bio | Aller au gym |
| 21 h 00 | | | Relire mes notes de cours |
| 21 h 30 | | | Relire mes notes de cours |

| Jeudi | Vendredi | Samedi | Dimanche |
|---|---|---|---|
| | | | |
| | 601-101 *Écriture et littérature* | | |
| 101-NYA *Évolution et diversité du vivant* (Biologie) | | Finaliser travail de littérature | Aller au gym |
| | Lire le chapitre 3 en maths | | |
| Faire mes lectures en littérature | | | |
| | Relire notes de cours en calcul | | |
| 202-NYA *Chimie générale* | Libération | | |
| | | | Commencer travail en espagnol |
| | 201-NYA *Calcul différentiel* | Travailler | |
| | | | |
| Travailler | | | |
| | | | |
| | | | |
| Souper et relaxer | | | |
| Relire mes notes de cours | | | Relire mes notes en chimie |
| | Sortir avec les amis | Sortir avec les amis | Lire chapitre 5 en bio |

# Optimise ta lecture

- **Lis tes volumes plusieurs fois attentivement** afin de vraiment en saisir l'essence. En lisant à l'avance les notions qui seront vues en classe, tu auras plus de facilité à saisir les nouvelles connaissances, même si celles que tu as lues au préalable ne sont pas toutes claires.

- **Mets en évidence les passages que tu as de la difficulté à comprendre** (flèche, surligneur ou autre). Tu pourras par la suite poser des questions à ton professeur.

- **Établis un code de couleurs pour annoter ta lecture.** Par exemple, lorsque de nouveaux termes sont présentés, utilise toujours la même couleur pour surligner sa définition. Ainsi, en relisant tes notes, tu repéreras plus facilement les éléments importants.

## Sois proactif en classe

- **Pose des questions,** autant en classe qu'en dehors de la classe. Ne présume jamais que tu es la seule personne à avoir une question et que ta question est trop stupide pour être posée. Ta réussite ou ton échec peut dépendre en partie des questions que tu poseras ou que tu n'auras pas posées pour mieux comprendre la matière à l'étude.

- **Prends des notes suffisamment claires et précises** durant les cours afin de te souvenir de la matière au moment de rédiger un travail ou d'étudier en vue d'un examen.

- **Relève le plus rapidement possible les points essentiels** d'un exposé écrit ou oral. Fais comme si tu prenais les notes pour quelqu'un d'autre afin que cette personne comprenne les notions comme si elle avait assisté au cours.

- **Utilise des abréviations** comme +/- (au lieu de « plus ou moins »), = (au lieu de « est égal ») et pcq (au lieu de « parce que »). C'est un peu comme te texter un message à toi-même!

- **Surligne les points importants à retenir et à approfondir.** Utilise différentes couleurs pour distinguer ce qui est important à retenir (ex. : jaune), ce que tu veux approfondir (ex. : vert), etc.

- **Relis tes notes durant la journée ou le soir même** afin de les compléter (au besoin) ou de faire une synthèse des notions vues en classe.

## Étudie de façon efficace

- **Fixe des périodes de révision à intervalles réguliers** et inscris-les à ton agenda.

- **Profite des périodes libres à ton horaire** (entre les cours) pour étudier, réviser et faire tes travaux.

- **Trouve un endroit au cégep où tu pourras régulièrement te consacrer à tes études.** Cela t'évitera d'avoir une trop grande charge de travail à faire à la maison le soir ou la fin de semaine.

- **Assure-toi d'avoir tes notes de cours, celles qui t'ont été remises par le professeur et tes livres de référence.**

- **Porte une attention particulière aux passages que tu as surlignés** et questionne-toi sur ces passages.

- **Étudie dans des conditions qui favorisent ta concentration et ta compréhension.** Lire rapidement son volume ou ses notes de cours, ce n'est pas étudier. Apprendre par cœur, ce n'est pas étudier.
- **Essaie d'étudier à deux ou en groupe.** C'est souvent plus efficace qu'étudier seul, puisque les autres étudiants peuvent apporter un éclairage sur certaines notions plus difficiles. Questionnez-vous à tour de rôle et discutez de vos réponses.

## Va chercher du soutien

- **Profite des périodes de disponibilité hebdomadaires offertes par tes professeurs** pour obtenir des explications supplémentaires, répondre à tes questions et clarifier une incompréhension.
- **N'attends pas qu'un professeur te demande d'aller le rencontrer;** tu dois prendre cette initiative si tu juges que tu as besoin d'une aide supplémentaire.
- **Inscris-toi à l'un des différents services d'aide offert par le cégep.**

# RÉFLÉCHIR À L'AVENIR (ENCORE!)

## La prochaine session

### Je veux continuer!

Tu n'as pas besoin de faire une nouvelle demande d'admission, si tu désires rester dans le même cégep. C'est la confirmation de ton choix de cours, en octobre et en mars, qui indique au cégep ton intention de continuer dans ton programme. Tu pourras par la suite, et au besoin, modifier ton choix de cours selon le processus indiqué précédemment (voir p. 43-44).

### Je veux continuer, mais j'ai eu des échecs...

**Si tu n'as pas respecté les critères de réussite** indiqués dans le *Règlement sur la réussite*, le cégep peut te demander de remplir certaines conditions afin de continuer tes études.

# Admission sous condition

Chaque cégep applique certaines conditions de réussite pour l'admission et la réinscription pour favoriser l'encadrement des étudiants jusqu'à l'obtention de leur diplôme.

Si tu as échoué un même cours plus d'une fois ou que tu as échoué la moitié de tes cours (ou plus) au cours d'une même session, tu pourrais être admis sous condition. Tu recevras une communication t'informant :

- Des conditions de réussite qui te sont imposées;
- Des mesures d'encadrement choisies en fonction de la gravité de la situation ou de ton incapacité à respecter les conditions ou les engagements. Par exemple :
  - Cours de renforcement obligatoires;
  - Retrait du statut d'étudiant à temps plein;
  - Exclusion du programme;
  - Exclusion du cégep.

Tu devras signer un **contrat de réussite** qui t'engage à respecter ces conditions.

# Je veux changer de programme

Si tu t'aperçois que tu n'aimes pas ton programme, tu peux faire une demande de changement de programme ou faire une nouvelle demande d'admission dans un autre cégep. Tu dois respecter les mêmes dates que pour ta première demande d'admission (voir p. 28-32).

Si tu décides de changer de programme, **n'effectue pas ton choix de cours** dans ton programme actuel, car tu devras le faire dans le nouveau. Ainsi, si tu n'es pas admis dans ton nouveau programme, tu pourras toujours faire réactiver un nouveau choix dans ton ancien programme moyennant certains frais.

## Faire une demande de changement de programme à l'intérieur du même cégep

| Si ton cégep est membre du… | | | Si tu étudies dans un cégep non-membre d'un SRA |
|---|---|---|---|
| **SRAM** | **SRACQ** | **SRASL** | |
| Adresse-toi au service en charge du cheminement scolaire de ton cégep. | Rends-toi sur le site du SRACQ. Sous l'onglet « *Admission* » sélectionne « *Changement de programme* » et suis les instructions. | Rends-toi sur le site du SRASL. Sous l'onglet « *Guide à l'admission* » sélectionne « *Changement de programme* ». | Adresse-toi au service des admissions de ton cégep. |

Il n'y a aucun frais pour une demande de changement de programme pour les cégeps membres d'un SRA.

## Changer de cégep

Si tu souhaites changer de programme mais que ce programme est offert dans un autre cégep, ou que tu souhaites demeurer dans le même programme mais changer de cégep, tu dois **faire le même processus d'admission que la première fois**, c'est-à-dire compléter une nouvelle demande d'admission.

Dans les deux cas, le SRA ou le cégep tiendra compte de tes résultats du secondaire **et du collégial** lors de l'étude de ta demande d'admission.

## Comment faire pour rattraper un retard dans mon cheminement?

### Suivre des cours d'été

Les cégeps membres des SRA offrent la possibilité de suivre certains cours d'été. Tu peux décider de suivre un ou des cours d'été pour reprendre un cours échoué, pour avoir moins de cours à suivre à ta prochaine session ou pour terminer ton DEC s'il ne te manque qu'un ou deux cours pour l'obtenir.

La liste des cours d'été offerts ainsi que les détails pour l'inscription sont disponibles sur le site Web du SRA à la fin mars ou au début d'avril.

En général, ce sont des cours de formation générale commune et des cours spécifiques qui sont préalables aux études universitaires. Ces cours sont offerts à deux périodes :

①  de la fin mai à la fin juin;

②  en juillet.

**Ils s'adressent seulement aux étudiants qui ont déjà terminé une session d'études au collégial.** Si tu as l'intention de suivre un ou plusieurs cours d'été, parles-en avec ton aide pédagogique individuel (API) (voir p. 73) pour comprendre la portée de cette décision sur ton cheminement et sur la durée de tes études.

## Faire un cours à distance

Certains cours sont offerts à distance par le Cégep à distance. Si le cours que tu veux suivre n'est pas offert ou qu'il n'y a plus de place dans ce cours à ton cégep, tu peux demander à ton API une autorisation d'études hors établissement (cours en commandite). Si l'autorisation t'est accordée, le cégep assumera le cout de l'inscription. Si tu n'obtiens pas l'autorisation et que tu décides tout de même de suivre le cours, tu devras en assumer tous les frais.

Avant de t'inscrire à l'un d'eux, vérifie bien auprès de ton API que le cours correspond à celui offert dans ton programme ainsi que l'effet que cela aura sur ton cheminement scolaire.

Une fois le cours terminé, le Cégep à distance t'indiquera à quel endroit aller pour faire ton examen. Les résultats seront par la suite transmis à ton cégep.

# La cote de rendement au collégial (ou cote R)

Tu dois prendre tes études collégiales au sérieux dès la première session, car ton dossier scolaire sera évalué selon cette fameuse « cote R ». Tu trouveras ton relevé de notes (bulletin) et ta cote R sur le portail de ton cégep quatre fois par année.

|  | Session d'automne | Session d'hiver |
|---|---|---|
| Calcul provisoire | Mi-janvier | Mi-juin |
| Calcul définitif (inclut la révision de notes) | Mi-février | Fin septembre (inclut la session d'été) |

Même si tu ne comptes pas t'inscrire à l'université après ton DEC technique, fais attention à ta cote R. Qui sait? Tu décideras peut-être un jour de changer de programme ou de retourner aux études. À ce moment-là, tu auras besoin d'avoir une bonne cote R pour ton admission, surtout dans un programme contingenté.

## La mystérieuse « cote R »

Brièvement, cette méthode d'évaluation est utilisée par la majorité des universités québécoises afin de gérer l'admission dans leur établissement, surtout dans les programmes contingentés (ex. : médecine, pharmacie, nutrition, droit, etc.). Elle permet de s'assurer que le dossier scolaire des diplômés du collégial qui font une demande d'admission à l'université soit évalué le plus équitablement possible, peu importe le cégep où ils ont étudié. Pour plus d'information, consulte la section « Outils et liens utiles » (p. 80-86).

Par exemple, si tu n'as pas la cote R minimale exigée pour être admis dans un programme, l'université peut te suggérer de t'inscrire à un certificat ou te demander de faire une session d'études préparatoires.

Pour chaque cours suivi, la cote R combine deux données :

- un indicateur de la position de l'élève en fonction de la note obtenue dans son groupe classe (cote Z);
- un indicateur de la force relative de ce groupe (IFG). L'IFG tient compte des résultats pondérés obtenus aux cours obligatoires de 4e et 5e secondaire par tous les élèves qui appartiennent à un même groupe au cégep.

**Tous les cours** entrent dans le calcul de la cote R, sauf :

- les cours de mise à niveau (mathématiques, chimie ou physique du secondaire complétés au collégial);
- les cours qui ont été substitués (ex.: un cours d'anglais peut être substitué pour un étudiant qui a participé à une session d'immersion (ex.: programme Explore) et qu'il en a fourni la preuve);
- les cours qui ont reçu une mention d'équivalence (cours complété dans un autre cégep, jugé équivalent parce qu'il répond aux mêmes objectifs).

69

**Même les cours échoués restent au dossier.** La reprise et la réussite d'un cours échoué n'effacent pas la cote R du cours échoué. Il y a alors deux cotes R pour le même cours.

## La cote R moyenne

| | |
|---|---|
| **Entre 32 et 35** | Notes très supérieures à la moyenne |
| **Entre 29,5 et 31,9** | Notes supérieures à la moyenne |
| **Entre 26 et 29,4** | Notes au-dessus de la moyenne |
| **Entre 20 et 25,9** | Notes dans la moyenne |
| **Moins de 20** | Notes inférieures à la moyenne |

## La cote R « par programme »

Les étudiants ayant fait un changement de programme durant leur passage au collégial ont une cote R pour chacun des programmes d'études dans lesquels ils ont été inscrits. Pour l'admission à l'université, c'est la cote R du programme pour lequel l'étudiant a obtenu (ou est en voie d'obtenir) son DEC qui est utilisée.

Les cours de formation générale (français, philosophie, anglais et éducation physique) servent toujours de base de calcul pour chacun des programmes que l'étudiant a à son dossier. L'université peut ajouter, à la cote R « par programme », la cote de certains cours préalables à l'admission.

Si deux DEC (dont les doubles DEC) apparaissent au dossier scolaire, l'université utilisera la cote R la plus avantageuse pour l'étudiant.

**Si tu échoues un cours, la cote R obtenue dans celui-ci ne s'efface pas lorsque tu reprends ce cours.** Le poids des échecs est pondéré dans le calcul de la cote R. Au premier trimestre d'inscription au collégial, les cours échoués ne comptent que pour le quart des unités qui leur sont attribuées, soit une pondération de 0,25; pour les trimestres subséquents, cette pondération est de 0,50. Cette méthode de calcul s'applique à tous les dossiers, peu importe la date de la première inscription au cégep.

**Si tu abandonnes un ou plusieurs cours** après la date d'abandon ou d'annulation sans pénalité, tu obtiendras une cote R faible basée sur un échec à ce ou à ces cours.

Si tu veux avoir une bonne cote R, la seule chose à faire est de **mettre toute ton énergie dans tes études** afin d'avoir les meilleurs résultats possibles, **surtout dans les cours de formation générale.**

# Des professionnels et des services importants à connaitre

La plupart des cégeps offrent une panoplie de services pour t'aider dans ton cheminement. Voici ceux que l'on retrouve dans la plupart des établissements.

## Services aux étudiants

### Service de l'organisation ou du cheminement scolaire

**Organisation scolaire**

- Admission (registrariat)
  - Inscription
  - Abandons et changement de programme
  - Relevés de notes et révision de notes
  - Correctifs au bulletin cumulatif
  - Changements d'adresse
  - Horaires

**Cheminement scolaire**

- **Aide pédagogique individuel (API)**
- Commandites (autorisation d'études hors établissement)
- Attestations de fréquentation scolaire
- Confirmation de l'obtention du DEC aux universités et aux employeurs

### Services d'aide à la réussite

- Centre d'aide à la réussite (français, mathématiques, sciences, épreuve uniforme de français, etc.)
- **Tutorat par les pairs**
- **Santé et psychologie** (aide psychosociale)
- Activités communautaires et vie spirituelle (parents aux études, étudiants étrangers, prévention du suicide, aide alimentaire, etc.)
- **Services adaptés**
- **Aide financière et bourses**
- Service de placement
- Service de logement (s'il y a lieu)

### Autres services

- Centre d'activité physique
- Association étudiante
- Bibliothèque,
- Etc.

**Et \***
- Orientation
- Information scolaire et professionnelle

*✻ Ces services peuvent se retrouver soit au Service du cheminement scolaire ou au Service d'aide à la réussite*

72

## L'aide pédagogique individuel (API)

Un aide pédagogique individuel (API) est attitré à tous les étudiants qui fréquentent le cégep en fonction du programme dans lequel ils sont inscrits. Cette information se retrouve généralement sur ton horaire. L'API doit être consulté dans de nombreuses situations : choix de cours, annulation de cours, changement de programme, cheminement particulier, commandites (voir p. 67), demande d'équivalences (voir p. 69), etc.

C'est la personne qui :

- Te conseille et t'informe sur tes choix de cours au collégial et ton cheminement à l'intérieur de ton programme;
- T'aide à bâtir un horaire de cours qui favorise ta réussite tout en respectant les règles en vigueur au collégial;
- S'assure que tu fasses des choix éclairés quant à tes études.

# Le conseiller d'orientation

Le conseiller d'orientation est un guide qui t'accompagne dans ton développement personnel et professionnel. Il t'aide à mieux te connaitre et à explorer le monde du travail pour t'aider à faire un choix de carrière qui te convient. Ce service est gratuit et confidentiel.

Tu peux prendre rendez-vous avec un conseiller d'orientation lorsque :

- Tu souhaites préciser ton projet de carrière;
- Tu veux discuter de ton choix de programme et explorer les différentes options;
- Tu veux dresser un portrait global de tes intérêts, valeurs, traits de personnalité, aptitudes, etc.;
- Tu as de la difficulté à démêler tes intérêts professionnels de tes loisirs;
- Tu veux valider ton choix professionnel;
- Tu as besoin d'aide pour choisir ton programme d'études supérieures;
- Tu dois réagir à un refus à ta demande d'admission;
- Tu ne sais pas quoi faire après tes études collégiales;
- Ton parcours scolaire n'a pas de sens pour toi;
- Tu désires faire le bilan de tes acquis personnels et professionnels;
- Tu t'inquiètes de l'avenir et de ta place dans le monde du travail;
- Etc.

# Le conseiller en information scolaire et professionnelle (CISEP)

Le conseiller en information scolaire et professionnelle (CISEP) t'aide à préciser tes objectifs de formation et à faire des choix éclairés en ce qui concerne ton cheminement pendant tes études collégiales, que ce soit pour te rendre à l'université ou sur le marché du travail.

Il est le spécialiste de l'information concernant :

- Les programmes de formation au niveau secondaire, collégial et universitaire;
- Les conditions d'admission à un programme ou à une profession;
- Les débouchés sur le marché du travail;
- Les professions (tâches, salaire, etc.);
- La cote R;
- Les possibilités d'études hors Québec ou à l'étranger;
- Les démarches pour faire une demande d'admission;
- Etc.

Il peut également te guider dans l'élaboration d'un plan B lorsque ton plan A risque de ne pas être réalisable en raison de difficultés scolaires.

# Le psychologue

Le psychologue t'offre le soutien nécessaire pour surmonter les périodes difficiles qui peuvent avoir un effet sur ta motivation et ton rendement scolaire. Ce service est gratuit et confidentiel.

Tu peux rencontrer un psychologue si tu éprouves des difficultés d'ordre :

- Familial;
- Social;
- Personnel;
- Organisationnel;
- Scolaire;
- Etc.

# Le travailleur social

Le travailleur social (ou travailleur de corridor) t'offre son aide si tu as besoin de parler et de trouver des solutions à divers problèmes qui ont des répercussions sur tes études :

- Diversité sexuelle;
- Toxicomanie;
- Conciliation famille-études;
- Aide alimentaire;
- Etc.

# Les professionnels des services adaptés et du soutien aux élèves en difficulté

Les personnes ressources aux services adaptés (conseiller en services adaptés et technicien en éducation spécialisée) t'accompagnent et te soutiennent tout au long de tes études. Les services sont déterminés en fonction de tes besoins particuliers et de ton diagnostic médical. Différentes mesures d'aide peuvent être mises en place à cet effet : encadrement pédagogique, temps supplémentaire aux examens, accès à des logiciels de rédaction, prise de notes par un étudiant, etc. Ces personnes offrent le suivi et tous les accommodements nécessaires afin de favoriser ton intégration et ta réussite scolaire si tu présentes des besoins particuliers, tels que :

- Limitation physique ou sensorielle (déficience visuelle ou auditive, paralysie cérébrale, etc.);
- Trouble d'apprentissage (dyslexie, dyscalculie, etc.);
- Trouble déficitaire de l'attention avec ou sans hyperactivité (TDAH);
- Trouble de santé mentale (trouble de l'humeur, schizophrénie, troubles alimentaires, etc.);
- Trouble neurologique (Syndrome d'Asperger, sclérose en plaques, etc.);
- Incapacité temporaire (blessure, maladie, traitement médical, etc.)
- Etc.

## La personne ressource au Service de l'aide financière

La personne ressource à l'aide financière peut :

- T'accompagner dans tes démarches pour l'obtention de prêts et de bourses;
- Te donner de l'information sur d'autres programmes de bourses;
- T'apporter un soutien dans l'élaboration de ton budget;
- Te donner des références à des organismes d'aide;
- Etc.

## Le tutorat par les pairs

Le tutorat par les pairs est un service d'aide gratuit offert aux étudiants qui ont des difficultés dans certains cours. Des étudiants qui réussissent bien (tuteurs) peuvent t'offrir une aide individuelle sous la supervision d'une personne responsable du programme d'aide. Le tuteur t'aidera dans tes travaux, tes rapports de laboratoire ou ta préparation à des examens.

# Dix

## pièges à éviter

1. **Ne pas respecter les dates limites** pour les remises de travaux, les choix de cours, etc. Aucun passe-droit ou délai supplémentaire n'est accordé.

2. **Ne pas lire attentivement tes plans de cours.** Toutes les consignes du professeur y sont inscrites!

3. **Ne pas te présenter à tes cours ou être régulièrement en retard.** La présence est obligatoire.

4. **Remettre à plus tard tes travaux scolaires.**

5. **Ne pas demander de l'aide lorsque tu en as besoin.**

6. **Ne pas lire le *Règlement sur la réussite*.**

7. **Ne pas utiliser son agenda et sous-estimer la charge de travail ou d'étude.** Bref, être à la dernière minute!

8. **Ne pas consulter régulièrement ton portail.** C'est le moyen utilisé par tes professeurs et les professionnels du cégep pour communiquer avec toi... Même lorsque les cours sont suspendus!

9. **Ne pas aller vérifier régulièrement si des documents ont été déposés sur le portail par tes professeurs.**

10. **Consacrer trop d'heures à un travail rémunéré ou à un loisir.**

# Ressources

## Le choix de carrière

### Sites Web et ressources en ligne

**MonEmploi.com**

Tu y trouveras des questionnaires pour t'aider à mieux te connaitre.
http://www.monemploi.com/#me-connaitre

Dans la zone *Formations*, tu trouveras de l'information sur les programmes d'études et les établissements d'enseignement.
http://www.monemploi.com/formations

Dans la zone *Métiers et professions*, tu pourras trouver de l'information sur les métiers et professions.
http://www.monemploi.com/metiers-et-professions

**Academos**

Tu pourras communiquer avec une personne qui fait le métier qui t'intéresse.
www.academos.qc.ca

**Jeunes explorateurs d'un jour**

Ce programme t'offre la possibilité de t'inscrire à un stage dans une entreprise afin de mieux connaitre un métier ou une profession. Près de 300 métiers peuvent être explorés.
www.jeunes-explorateurs.org

### Métiers Québec

Tu pourras obtenir de l'information sur les professions, les programmes, l'admission.

www.metiers-quebec.org

## Ressources professionnelles et organismes

### Ordre des conseillers et conseillères d'orientation du Québec

Tu pourras y trouver une liste de conseillers d'orientation en pratique privée selon la région où tu habites.

http://orientation.qc.ca/repertoire-des-c-o-en-pratique-privee

### Carrefours jeunesse-emploi

Les carrefours jeunesse-emploi offrent des services d'accompagnement et d'orientation gratuits aux 16 – 35 ans.

http://www.rcjeq.org/les-cje/recherche-de-cje-par-region/

## Le cégep

## Brochures à consulter en ligne

### SRAM et SRASL (2014) – De l'énergie dans mes études

Cette brochure, préparée par le SRAM et le SRASL avec la collaboration de conseillers d'orientation et de professionnels de l'information scolaire, a été conçue afin d'aider les élèves du secondaire à se préparer aux études collégiales.

https://www.sram.qc.ca/le-sram/de-lenergie-dans-mes-etudes

### SRAM (2008) – Les yeux grands ouverts

Brochure préparée à l'intention des étudiants de 1<sup>re</sup> année du cégep.
http://www.cvm.qc.ca/formationreg/cheminementScolaire/
Documents/yeuxgrandsouverts_2008.pdf

## Sites Web

### Choix avenir – Espace virtuel pour les parents

Ce site Web contient beaucoup d'information sur les études au collégial.
http://www.choixavenir.ca/parents/post-secondaire/la-formation-collegiale

## Vidéos en ligne

### SRAM (2009) – C'est parti!

Cette série de sept vidéos est conçue pour les jeunes et leurs parents afin de les accompagner dans la transition entre les études secondaires et les études collégiales.
http://cestparti.sram.qc.ca/

### Ma formation en vidéo – La transition secondaire-collégial

Site Web permettant de consulter plusieurs vidéos de témoignages et trucs d'étudiants du collégial.
http://maformationenvideo.ca

# Les programmes d'études, les préalables et les conditions d'admission

## Sites Web

**MonEmploi.com**
www.monemploi.com

**Inforoute de la formation professionnelle et technique**
http://www.ifpt.org/

**Ministère de l'Éducation, de l'Enseignement supérieur et de la Recherche – Circuit collégial 2016-2017**

Document contenant de l'information sur les préalables pour chaque programme au collégial.
http://www.education.gouv.qc.ca/fileadmin/contenu/documents_
soutien/Ens_Sup/Collegial/Admission_collegial/Circuit_collegial_
2016-2017_VF.pdf

**REPÈRES**

Banque de données en ligne, disponible dans les écoles secondaires abonnées. Elle contient de l'information sur les programmes, les métiers et professions, le marché du travail, etc. Informe-toi auprès de ton conseiller d'orientation.

## Sites Web des Services régionaux d'admission (SRA)

⟹ **Service régional d'admission au collégial de Québec (SRACQ)**

www.sracq.qc.ca

⟹ **Service régional d'admission au collégial de Montréal (SRAM)**

www.sram.qc.ca

⟹ **Service régional de l'admission des cégeps du Saguenay–Lac-Saint-Jean (SRASL)**

www.srasl.qc.ca

## Livres

⟹ **Les guides Choisir : Secondaire/collégial, DEC-BAC**

Ces guides, publiés par Septembre éditeur, contiennent une foule de renseignements concernant les programmes offerts dans tous les cégeps.

www.septembre.com

⟹ **Le guide pratique des études collégiales au Québec – SRAM**

Ce guide, publié par le SRAM, contient de l'information sur les programmes offerts par les cégeps.

https://www.sram.qc.ca/le-sram/le-guide-pratique

### À quoi ça sert les maths et les sciences?

Petit guide, publié par Septembre éditeur, qui permet de comprendre la portée du choix d'une séquence en mathématique sur les choix de programmes au collégial.

http://www.septembre.com/livres/quoi-sert-les-maths-les-sciences-6-1437.html

## Vidéos en ligne

### Ma formation en vidéo – La transition secondaire-collégial

Site Web permettant de consulter plusieurs vidéos sur les programmes offerts au collégial.

http://maformationenvideo.ca

# La cote de rendement au collégial (ou cote R)

## Sites Web

### Bureau de coopération interuniversitaire

Site Web proposant une section questions et réponses ainsi que des liens vers des documents pour mieux comprendre la cote R.

www.crepuq.qc.ca/spip.php?rubrique185

### MonEmploi.com

Ce site Web a publié un dossier complet sur la cote R.

- **La cote de rendement au collégial, c'est quoi?**
  http://www.monemploi.com/magazines/la-cote-de-rendement-au-collégial-c-est-quoi

- **La cote R et le projet professionnel : attention aux pièges !**
  http://www.monemploi.com/magazines/la-cote-r-et-l-
  elaboration-de-son-projet-professionnel
- **La cote R et le contingentement : n'oubliez pas le plan B !**
  http://www.monemploi.com/magazines/la-cote-r-et-le-
  contingentement-n-oubliez-pas-le-plan-b

### Collège Bois-de-Boulogne

Tu y trouveras un document pertinent sur la cote R.
http://bdeb.qc.ca/fichiers/2013/10/demystifier_la_cote_r1.pdf

## Livres

### Le Guide Choisir Université

Ce guide, publié par Septembre éditeur, contient un dossier complet sur la cote R.
www.septembre.com

## Vidéo en ligne

### La facture

Reportage sur la cote R ayant été diffusé le 8 mars 2011.
https://www.youtube.com/watch?v=5WQL-v8wjz0

# Référence

Roy J., Bouchard J. et Turcotte M.-A. (2008). *La conciliation entre le travail et les études chez les collégiens : un paradigme en évolution – Étude sur le travail rémunéré en milieu collégial. Rapport de recherche PAREA*. Québec, Cégep de Sainte-Foy et Observatoire Jeunes et Société.